책을 시작하며.

우리는 영화를 보면서 많은 감정을 느끼곤 합니다. 때로는 웃음과 눈물을 번갈아가며, 때로는 생각에 잠겨 우리 자신과 세상에 대해 고찰하게 됩니다.

이 책에서는 그런 영화 속 감정을 함께 나누고, 영화가 제기하는 다양한 주제에 대해 함께 토론하고자 합니다. 우리는 서로의 생각을 공유하고 존중하며, 새로운 관점을 배워가는 과정에서 서로의 대해 더 깊이 이해하게 될 것입니다.

이 책은 단순한 영화 서평이나 분석이 아닌, 영화를 보고 함께 이야기를 나누는 기록 형식의 분위기를 만들기 위해 탄생했습니다.

영화는 우리의 삶을 더 풍요롭게 만들어주는 예술 중 하나입니다. 그안에는 다양한 이야기와 감정, 사상이 담겨 있으며, 우리는 그 속에서자신의 삶을 발견하고, 세상을 바라 보는 새로운 시각을 얻게 됩니다.

우리는 함께 영화를 보고, 그 속에서 느낀 감정을 솔직하게 나누며, 서로의 이야기에 귀 기울일 것입니다.

영화는 우리에게 단순한 오락 이상의 의미를 전달합니 다. 그 안에는우리의 삶과 사회에 대한 다양한 메시지 가 담겨 있으며, 우리는 그것들을 함께 탐구하고 이해해 나갈 것입니다.

이 책의 주 내용은(사실 딱히 없습니다) 특정 영화를 보고 여러가지 주제를 정해 자유롭게 이야기하는 형식으로 진행됩니다.

지루한 서론이나 복잡한 이론은 잊어버리고, 영화 속 이야기를 즐기고 서로에 대한 생각을 솔직담백하고 유쾌하게 나누고자 하는 것이 이 책을 쓴 이유이자 목적입니다.

지금부터 저희와 함께 영화를 즐기며 생각과 감정을 표현하고, 다양한 영감을 주고 받았으면 좋겠습니다.

- 이 이야기는 실제 대화를 기반으로 작성되었습니다.
- 각 캐릭터는 실존 인물을 기반으로 만들어졌습니다.(뒷표지 참고)

하이에나 : 오늘 우리가 보고 이야기 해볼 영화는 화차, 양들의 침묵, h.e.r 이라는 영화야.

혹시 지금 이 책을 읽는 사람이 있다면(없겠지만) 이 책에는 해당 영화들의 스포가 가득 들어있기 때문에 영화를 보고나서 같이 이야기 했으면 좋겠어!

우리는 영화 속에서 제기되는 딜레마에 대해 이야기 해보려 해.
영화는 종종 우리에게 삶의 여러 면면에 대한 질문을 던지고, 때로는 우리의 가치관이나 선택에 대해 다시 생각하게 만들지.

오늘 우리는 그러한 딜레마들을 다룬 영화를 바탕으로 함께 이야기 해보려고 해. 함께 의견을 나누고, 서로의 관점을 듣고 존중하는 것이 이 책과 대화의 목적이야. 그러면 시작해볼까?

1. 화차

하이에나 : 우리가 이야기 할 첫번째 영화는 '화차'야!
이 영화는 여주인공인 '차경선'의 행동에 초점을 맞추고 주제를 정해
봤어. 첫번째 주제부터 한번 다뤄볼까?

1. 차경선을 악인이라 할 수 있는가?

나무늘보 : 솔직히 악인이라 생각 안 하는 사람 있어?

하이에나 : 없지..

펭귄 : 무조건 악인이기는 하지. 왜냐하면 차경선의 범죄는
계획적이었잖아?

개미핥기 : 차경선의 과거를 보여주는 장면 중에 교회를 다니는 등
착한 사람인 것 처럼 보여지는 장면이 있었지만 나중에 본인의 상황
이 힘들어지니까 아버지를 죽여달라고 기도했잖아?
그런 걸 보면 애초에 차경선이라는 인물이 선하지 않았다는 걸 보여
주는 것 같아.

하이에나 : 나는 차경선이 완전한 악인은 아니라고 봐. 만약 너네가
영화 속 차경선의 상황이었다면 다른 선택지가 있었을거라 생각해?
살인을 정당화하는 건 절대 아니지만 금전적으로나 여러 방면으로나
주변 상황이 차경선을 극한으로 몰았다고 봐.

펭귄 : 그래도 나는 무조건적인 악인이라고 보는데.

나무늘보 : 맞아, 나는 솔직히 여주인공이 마지막에 죽는게 어이가 없었어. 그렇게 죽을거면 진작에 죽던가(?!) 왜 살인까지 하고, 남한테 피해란 피해는 다 끼쳐놓고..
그리고 영화 속 남주인 문호와 만나면서 "내가 행복해질 수 있을까?"라는 것도 너무 염치가 없어. 나 같으면 살인을 저지르고 남의 이름을 도용해서 살면서 결혼을 해서 살림을 꾸릴 생각은 절대 안 할 것 같아.

개미핥기 : 와 정말 냉철한 걸?

나무늘보(냉철) : 심지어 성의조차 없어.. 살인을 해놓고 제대로 대비도 안 해놨네?

하이에나 : 그러니까 멍청하다는거네?

개미핥기 : 금융지식이 부족했네.

하이에나 : 무슨 토론이야 이게.

나무늘보 : 남을 죽여놓고 본인이 행복하려 하는 것은 X년이다. 사연 없는 사람이 어디있냐?

하이에나 : 오오…

나무늘보 : 솔직히 말해서, 경찰한테 몰렸을 때 자수할 수 있었어. 사채업자가 끌고 갔을때가 오히려 더 희망이 없는 거 아니야?
그리고 마지막에 문호가 "그냥 너로 살아."라고 했을 때 그 말도 귓등으로 들었잖아.

하이에나 : 나는 문호가 경선에게 그렇게 말했을 때 솔직히 기만같았 거든. 영화 속에서 차경선이 악인이고 문호는 상대적으로 착한 사람 으로 나오잖아.
근데 차경선은 어릴 때부터 산전수전 다 겪었고 문호는 비교적 평탄 한 삶을 살았어. 직업도 좋지, 돈도 많지. 문호는 이때까지의 인생에 풍파가 없었기 때문에 차경선을 이해하지 못하는거야.
내가 만약 차경선의 입장에서 문호한테 그냥 너는 너로 살라는 말을 들으면 참 잔인하게 들렸을 것 같아. 차경선은 마냥 악인이고 문호는 착한 사람인게 아니라, 살아온 환경이나 주변 상황이 해당 인물을 그 렇게 만든 것이라고 생각해.

하이에나 : 문호가 경선을 사랑한 건 맞지만 이해는 할 수 없었던거 지. 둘은 너무 다른 사람이기 때문에.

나무늘보 : 나는 그렇게 생각하지 않아.(냉철)
너로 살라는 말은 물론 문호가 풍파없이 순탄히 살았기 때문일 수 있 지만 상식선에서 본인의 삶이 아무리 힘들지라도 남을 살해한다는 것 은 상식 밖의 생각이라는거야.
경찰에 자수하고 그에 맞는 벌을 받고 본인의 삶을 다시 살 수 있지만 차경선은 그냥 죽어버렸잖아? 선택을 할 수 있었음에도 무책임하게 자살을 선택한거야.

하이에나 : 굉장히 냉.철한 발언이었어.

펭귄 : 나는 나무늘보의 의견에 적극적으로 동의해.

하이에나 : 묻어가는거야?

펭귄 : 차경선이 나쁜X인게.. 늘보 말과 똑같아. 본인의 선택에 책임을 지지 않는 매우 이기적인 사람이야. 그리고 문호는 멍청해.

나무늘보 : 문호는 순진한 면이 있지만 그래도 상식선에서 놀잖아.

펭귄 : 문호는 경선을 사랑했지만 배려는 부족했던 것 같아. 왜냐면 처음부터 경선이 살인자일수도 있다는 추측을 분명히 하고 있었음에도 끝까지 진실을 밝혀내려고 경선을 쫓았기 때문에.

하이에나 : 그러면 문호가 만약 경선을 찾지 않았다면?

개미핥기 : 다음 질문으로 넘어가보자.

2. 문호가 경선을 찾지 못했다면 경선은 행복할 수 있었을까?

나무늘보 : 당연히 행복하지 않았을거야. 왜냐면 일단 경선은 절대 깡이 쎈 사람이 아니야. 끊임없이 스트레스를 받았을 것이고 이후에도 후유증이 계속 있지 않았을까?
살인을 하며 살아가는 삶이 어떻게 행복할 수 있겠어.

개미핥기 : 차경선은 영화 후반부에 자신을 괴물이라 칭했지만, 인간답게 살고자 하는 목표를 가지고 있었어.
관점을 다르게 놓고 본다면 인간을 죽이고 인간의 삶을 살게 되었으니 만족했을수도 있지 않을까?

나무늘보 : 영화 속 차경선의 삶 자체가 딜레마야.
나 자신으로 살기는 힘들고 잘 살아보려하면 살인을 해야하는 딜레마 속 이쪽도 저쪽도 고르지 못하는 상황,
두 쪽 다 원하는 삶이 아니기 때문에 절대 행복할 수 없을 거라고 봐.

펭귄 : 영화 속에서 경선이 양심의 가책을 느끼는 장면은 없었어. 혹시 싸이코패스 아닐까?

하이에나 : 행복이라는건 기준도 없고 너무 주관적인 거니까.. 윤리적인 입장에서 봤을때 경선이 싸이코패스라고는 생각이 들지 않아.
하지만 영화 안에서 경선이 죄책감을 가진다거나 하는 장면은 사실 없기는 했지. 경선은 본인의 삶이 이렇게 힘들기 때문에 어쩔 수 없었다, 내가 살기 위해서는 어쩔 수 없다고 생각했을 것 같아.
살인으로 인해 원하는 바를 얻어냈다면.. 그러니까 경선이 바라는 평범한 삶을 가지게 됐다면 어쩌면 행복할 수도 있었다고 생각해.

나무늘보 : 영화 안에서 경선이 미래에 대해 얘기를 하는 장면이 있어. 경선이 바란 행복은 하이에나의 말대로 문호와 함께하는 평범한 삶이었지. 하지만 경선은 그 평범한 삶을 위해 계속해서 살인을 해야 하는 평범하지 않은 삶을 살아가야 하기 때문에 불행할 수 밖에 없다고 봐.

하이에나 : 근데 다른 사람 만날수도 있지 않을까?

나무늘보 : 멍청이야?

하이에나 : (…) 살인이라는 행위 자체가 범죄이고 타인에게 해를 끼치는 행위이기 때문에 긍정적 요소와 관련된 행복과 양립하기 어렵지. 그러므로 경선은 행복해선 안 된다!

이제 다음 질문으로 넘어가볼까?

3. 만약 여주인공이 극단적 선택을 하지 않고 재판을 받았다면 개인적인 배경이 판결에 많은 영향을 미쳐도 되는가?

펭귄 : 나는 절대 영향을 미치면 안 된다고 생각해. 주제 자체가 말이 안 돼. 불쌍하다고 너도나도 봐주면 법의 기준이 애매해지기 때문에 안 돼.

개미핥기 : 법은 엄정하긴 하지만 절대적인 아니라고 생각해. 법은 수학공식처럼 정해져 있는 것이 아니라 계속해서 바뀌고 추가되고 사라지기도 해. 숫자가 아닌 글로 이루어져 있지. 나는 사람들에 대한 것들을 볼 때 기회가 얼마나 주어졌느냐를 평등의 가치로 보는데 내가 영화를 보았을 때 차경선에게는 기회가 별로 주어지지 않았던 걸로 보여. 그러므로 여주인공을 처벌한다고 했을 때, 그런 여주인공의 사정을 들어 줄 명분은 충분히 있다고 보여져.

나무늘보 : 영향을 미쳐도 된다고 생각해. 법이라는 것은 범죄를 저지른 사람에게 그만한 형을 주는 것도 중요하지만 살인을 하지 않았음에도 누명을 쓴 사람들이 분명히 있었기 때문에 당연히 영향을 미쳐도 된다고 봐. 펭귄 말대로 하면 재미로 본인의 쾌락을 위해 살인을 저지른 사람과 경선이 똑같은 형을 받아야한다는 건데 그건 말이 안 된다고 생각하거든.

하이에나 : 진짜 복잡하고 어려운 문제다.. 나도 영향을 미쳐도 된다고 생각해. 물론 사람마다 윤리의 기준도 다르고 해석하는 것도 다르지만 그건 영향을 미치는 정도의 차이에 대한 견해가 다를 뿐이지 아예 영향을 줄 수 없는 건 말이 안 된다고 생각해. 또한 안타까운 배경이든 아니든 그 당사자의 배경이나 사정보다는 범죄의 심각성이나 반성의 의지를 나는 더 고려해야 한다고 봐.

4. 생존을 위한 선택으로 어디까지 이해 가능한가?

개미핥기 : 생존을 위해 식인을 한 사례도 있었지?

하이에나 : 내가 알기론 그거 처벌 안 받았을 걸?

펭귄 : 나는 살인이랑 보증빼고는 다 이해 가능하다고 봐.
살인은 윤리적인 문제라고 생각하거든. 애초에 살인이라는 것 자체가
타인에게 끼칠 수 있는 최고의 민폐잖아?
그래서 안 된다고 보고 빚보증은.. 다들 알지?

하이에나 : 기준의 차이인 게 우리는 법의 통제 아래에서 살고있잖아.
법에 따르면 위에서 너네가 말했던 살인은 절대 용서받지 못하는 행
위잖아. 근데 다른 기준에서 보면 동물이 동물을 먹는 약육강식과 같
은 행위는 어떻게 설명할 수 있을까?

펭귄 : 걔네는 지성이 없고 우리는 지성이 있잖아. 그것은 자연의 이
치라고 봐.

하이에나 : ㅇㅋ

나무늘보 : 모든 선택의 기준은 남에게 피해가 가지 않으면 하지 않는
게 맞아.

개미핥기 : 공익을 위한 생존이 되어야 해. 만약 내가 죽거나, 남이 죽
거나 하는 상황이 닥쳤을 때 본인이 살아남는게 다수에게 도움이 될
수 있다면 타인보다 본인이 살아야 한다고 생각해.

펭귄 : 판단을 누구에게 맡기는데?

개미핥기 : 나한테(무논리)

나무늘보 : 남에게 피해를 끼치는 건 이유가 어쨌든 절대 안 돼. 만약 끼치게 된다면 다수에게 도움이 되어야한다는 것이 나의 생각이야.

하이에나 : 넘어가 넘어가~

5. 살아가면서 만나는 사람들을 무슨 근거로 믿어야 하나?

하이에나 : 안 믿는데..?

개미핥기 : 나도 잘 안 믿어.

나무늘보 : 절대 안 믿지.

펭귄 : 나만 잘 믿어?

하이에나 : 그런 듯?

펭귄 : 사람 간에 신뢰가 있어야 너도 행복하고 나도 행복하고.. 인간 세상이 풍요로워지는거야. 이 사회에는 신뢰관계가 있어야지만 인간 서로서로가 발전하고 더 좋은 세상이 만들어진다고 봐.

나무늘보 : 근데 어떻게 믿냐 이거지. 이러한 불신이 넘쳐나는 사회에서~

펭귄 : 마지노선을 정하자 이거지. 자신만의 마지노선

하이에나 : 그치만 문호는 씨게 디여버렸잖니 결혼까지 결심했는데~

(숙연..)

하이에나 : 영화 화차에 대한 토론은 여기까지 할게.
이 영화에 대해 마지막으로 정리해 줄 사람?

펭귄 : 내가 할게.

펭귄 : 화차는 복잡한 이야기 속에서도 캐릭터들의 심리적인 복잡성을 섬세하게 잘 그려낸 영화같아. 주인공인 문호는 처음에는 경선의 실종에 대한 절망과 불안에 시달리지만, 이야기가 진행될수록 경선의 감춰진 과거의 비밀이 드러나면서 감정이 변화하고 또 고조되지. 배우들의 연기는 이런 감정의 전환을 자연스럽게 표현해 여러 관객들의 공감을 잘 이끌어낸 것 같아. 또 어두운 색감과 몰입도 높은 음악이 영화를 더 긴장감 있게 만들어줬지.

나는 영화내내 경선이 관객에게 '너라면 이렇게 안 할 것 같아?'라고 질문을 던진다고 보여졌어. 문호의 부탁으로 종근이 사건의 전말을 하나씩 푸는 것을 보며 경선의 상황을 하나씩 알면 알수록 이 질문이 더욱 더 강하게 느껴졌기 때문에 영화를 그저 가볍게만은 보지 못했지. 우리 책의 테마와 너무 잘 맞아떨어지는 작품이었고 과몰입이 심한 사람이라면 더 재밌게 볼 수 있는 작품인 것 같아.

2. 양들의 침묵

하이에나 : 두번째로 이야기 할 영화는 '양들의 침묵'이라는 영화야! 이 영화는 범죄자 '버팔로 빌'을 잡기 위해 어쩔 수 없이 사이코 패스 '한니발'에게서 정보를 얻어야만 하는 상황에 놓인 FBI 수사관 '클라리스 스탈링'의 이야기를 중심으로 전개되는 영화야. 영화의 내용이 복잡하고 숨겨져 있는 의미가 많은 영화인만큼 꼭 영화를 먼저 보고 이야기 나눴으면 좋겠어. 자, 첫번째 주제부터 한번 다뤄볼까?

1. 한니발이 마지막 통화에서 스탈링을 찾지 않겠다고 한 이유는 무엇일까?

개미핥기 : 난 이거 별 의미없이 그냥 그렇구나~ 하면서 넘겼었어.

펭귄 : 그래? 나는 이거 어떤 확신이 있었어. 한니발은 스탈링을 정신 상담해주는 느낌이 영화를 보는 내내 들었거든. 한니발은 스탈링을 환자로써 상담해주는 느낌이었고 반대로 스탈링은 계속 자신의 트라우마를 한니발에게 말하면서 한니발에게 상담을 받는 느낌이었단 말이지? 둘은 서로를 환자, 의사로 생각했던게 아닐까?

개미핥기 : 그런데 한니발은 자신의 환자를 죽인 적이 있잖아. 자기의 고객으로 온 사람의 목을 잘라버린거,

하이에나 : 애초에 한니발이 감옥에 들어간 게 자신의 환자를 죽였기 때문이었지.

펭귄 : 내가 어떤 풍습에 관한 이야기를 본 적이 있는데, 거기에서 식인 풍습은 상대방의 의식과 영혼을 계승하기 위해서 한 거래. 한니발은 계승 의식의 느낌으로 식사한 것이 아닐까?
그러니까 한 영화적인 장치의 느낌인거지. 이 사람들을 내가 계승해서, 돌보아줘야겠다는 그런 생각이 아니었을까?

개미핥기 :영화 속에서 한니발이 환자에 대해 "내가 볼 때 애네는 내가 고칠수가 없다."라고 말한 대사가 있었지. 한니발은 그 말을 한 후 그 환자를 죽였어. 돌봐줘야겠다는 의미는 아니지 않았을까?

펭귄 : 그래도 한니발은 의사로서의 책임감을 느꼈다고 하더라.. 내가 너무 과대해석 한 건가?

나무늘보 : 나도 한니발이 스탈링을 계속 상담해준다는 느낌은 들었어. 스탈링에게 확실히 호의적이긴 했지.

개미핥기 : 또 영화를 보면서 계속 궁금했던게 한니발이 잭 크로프트한테 호감이 있는 건지 없는 건지 잘 모르겠어.

펭귄 : 잭 크로프트와 한니발의 관계가 영화에서 잘 묘사되지는 않아. 연관점이라면 한니발을 스털링에게 소개시켜준거지. 그럼 왜 도와줬지? 크로프트가 스탈링의 트라우마를 알고있나?

하이에나 : 그건 영화 내용을 봤을 때 아닌 것 같아.

펭귄 : 그리고 나는 영화를 보고 영화의 포스터를 다시 보니까 영화의 의미가 바로 이해되더라고. 입을 가리는 매체로 나비(나방)를 사용했잖아. 근데 나비는 변화를 상징하고, 양들이 침묵하는 것은 트라우마를 극복하는건데.. 변화로 트라우마를 극복한다는 것을 양들이 침묵한다는 것으로 표현한게 정말 신기하고 참신했어.

하이에나 : 맞아. 그리고 다시 주제로 돌아와서, 한니발이 스탈링을 찾지 않겠다고 한 이유는 스탈링과 한니발의 이야기가 정렬되면서 쌓인 유대감이라고 생각해. 주제의 상황이 한니발이 영화의 결말에서 스탈링에게 전화하면서 한 행동이잖아. 마지막에 또 다른 살인을 하려한다는 암시이자 예고를 하는거고. 냠냠하러 간다고 하잖아~

개미핥기 : 냠냠이라고?ㅋㅋ

하이에나 : 이런 측면에서 봤을 때, 한니발이 스탈링을 찾지 않겠다고 한다는 건, 스탈링을 희생자에 포함시키지 않겠다는 말인거지. 영화를 볼 때 한니발은 스탈링에게 호감이 있는 것은 확실하거든. 근데 그게 어떤 종류의 호감인지는 안 나온단 말이지. 특히 사건 파일을 건네줄 때 손가락 끝으로 스킨쉽하는 부분, 그 부분이 진짜 미묘한데 살짝 변태스러우면서 징그러웠어..

나무늘보 : 나는 한니발이 식인을 한 게 트라우마 때문이라고 봤거든.. 한니발도 심리적으로 뛰어나고, 스탈링도 심리적으로 뛰어난 인물들인데, 한니발은 스탈링이 본인의 트라우마를 극복했으면 좋겠고, 극복한 것 같으니까 결국엔 스탈링을 찾지 않게되었다~ 그런게 아닐까? 스탈링이 자신의 트라우마를 통제하는 방법을 모르는 것을 보고 동질감이 들었다는 거지.

개미핥기 : 그러면 한니발에게 식인이 트라우마 통제의 방식일 수 있는 건가? 그 사람 나름대로의…

펭귄 : 너무 잔인한 것 같아.

하이에나 : 그러게. 이쯤에서 다음 주제로 넘어갈까?

2. 버팔로 빌이 성전환 수술을 받았더다면 살인마가 되지 않을 수 있었을까?

하이에나 : 일단 아니라고 봐.

펭귄 : 나도 아니야.

나무늘보 : 나도.

개미핥기 : 어 나도

개미핥기 : 영화에서 보면 버팔로 빌은 성전환 수술을 한 적이 없는데 한 상태라고 착각하고 있대. 자신은 성전환 수술을 한 줄 알고 있으니까 그럼 수술을 했던 안 했던 살인을 할 거 잖아?

펭귄 : 본인이 성전환 수술을 했다고 믿었다면 왜 여성성에 집착을 했을까? 여성만 타깃으로 하고 여자들의 살을 모으잖아. 그래서 여자 가죽을 모아서 옷을 만들잖아. 왜 그럴까? 자기는 이미 여자가 된 것으로 믿고 있는데,

하이에나 : 나는 버팔로 빌의 안타까운 사연이 있지 않았을까 그렇게 짐작을 했었거든, 전에 이야기했던 영화 '화차'에서는 주인공의 안타까운 사연을 비춰주는 이야기가 있었는데, 이번 영화에서는 빌에게 연민이 느껴진 적은 한번도 없었어.

개미핥기 : 나는 이 영화에서는 스탈링과 버팔로 빌의 변신이라는 모티프가 중첩되는 것에 집중했다고 생각해. '화차'에서는 얘가 왜 변신을 하려고 할까?를 개인의 사연으로 탐구하는 과정이었다면, '양들의 침묵'에서는 변화하려 하는 스탈링, 버팔로 빌 이 2명의 인물을 동시에 프로파일링 하는 과정이 영화의 내용인거지. 한니발은 스탈링에게는 버팔로 빌의 사건서류를 보고 "여기 안에 답이 있다, 너라면 찾을 수 있다." 라고 하잖아. 왜냐면 스탈링과 빌은 서로 다르지만 그 근본 자체는 비슷한 사람이라고 언질을 주는, 그런 영화적 장치였다고 생각을 해.

펭귄 : 그럼 만약에, 버팔로 빌이 진짜 여자였다면 다른 전개로 흘러갔을까?
여자였으면 그렇게 몸집이 큰 여자를 살해하기 어려울 거 아냐.

하이에나 : 그치, 나는 버팔로 빌이 그렇게 살인하기 쉬운 상대만 골라서 살인을 했었고, 만약에 여자였다면 체급차이가 많이 나는 사람들은 어떻게 못했을 거 아니야; 나는 그런 점에서 버팔로 빌이 너무 쓰레기 같아

개미핥기 : 나는 버팔로 빌이 만약 여자였더라도 살인을 하겠구나, 생각했어.
버팔로 빌의 살인과정을 보면 전반적으로 힘의 차이로 죽인 장면은 잘 없고 기습이나 도구를 사용해서 죽였잖아. 도와달라면서 차로 데려와서 방심시키고 기습을 한다던가하는.. 자기 힘 안 들이고 전략적으로 움직이고 도구를 쓰면서 살인을 하거든. 그 정도는 여자더라도 살인이 가능하지 않았을까?

나무늘보 : 나는 남자와 여자의 기능적인 차이보다도, 영화에서 "내가 생각하는 나와 세상이 보는 나의 차이"라는 측면에서 봤어. 한니발은 살인을 하고 인육을 먹는 미친 사람이지만 밖에서는 유능한 의사이고, 스탈링도 아주 유능한 형사이지만 밖에서는 여성이라는 이유로 성차별을 겪고, 스탈링을 성적으로 보는 시선들이 영화 속에서 은근히 표현됐단 말이지? 이런 나 자신의 본래의 모습과 외부에서 비춰지는 모습의 차이라는 공식을 버팔로 빌에게도 적용해보는거야.

버팔로 빌 같은 경우도 자신은 여자인데, 사회적으로는 남자로 살아가잖아. 내가 생각하기에는 여기에서 발생하는 차이에서 살인의 동기가 발생한 것 같거든. 그래서 버팔로 빌이 생각하는 자신의 성과 남이 보는 자신의 성이 일치했다면, 살인을 저지르지 않았을 수도 있지 않을까? 라는 생각을 했어.

펭귄 : 나약한 사람이지, 버팔로 빌은.

- **나비와 사람들, 우화와 변화에 대하여**

하이에나 : 살짝 다른 이야기를 하자면, 영화에서 나비(나방)이 중요한 소재로 등장하잖아. 나는 나비가 의미하는 상징을 봤을 때 들었던 생각이, 스탈링과 한니발이 둘 다 나비가 되었다고 느꼈어. 왜냐하면 영화의 후반부에서 스탈링은 내면의 트라우마를 극복한 것처럼 묘사되고, 한니발도 탈옥에 성공하면서 새로운 삶을 살고 있잖아. 근데 버팔로 빌은 스스로 변화하지 못하고 죽은 것처럼 보였거든. 결국 양들의 침묵은 번데기에서 나비로 변신/ 변화를 성공한 사람과 아닌 사람을 대조적으로 보여주는 작품인거지. 한니발은 외면은 자유롭지 않지만 내면은 자유롭고 강인한 사람이야. 스탈링은 반대로 몸은 자유롭지만 내면이 트라우마에 갇혀있는 사람이지. 나는 그 둘이 비슷하다고 생각했거든. 결국 이런 동질감 때문에 스탈링과 한니발이 공조를 할 수 있었다고 생각해.

펭귄 : 그러면 버팔로 빌이 시체 입에 나방 번데기는 왜 먹였던거야? 굳이 아시아에서만 나는 벌레를 애지중지 키운 다음에 피해자의 입 안에 넣은게 이해가 안 되더라고. 어떤 상징적인 의미가 있다고 생각하는데…

하이에나 : 그거는 버팔로 빌이 자유와 변화를 원한다는 이미지를 번데기를 통해서 보여준 거 아닐까? 변화하고자 하는 욕망을 드러내는 거야. 피해자의 살가죽을 가지고, 피해자에게 번데기를 먹이는 행위로 자신이 변화한다고 착각하는거지.

펭귄 : 내가 영화를 보면서 느낀 건, 이 영화에서는 약자가 다른 약자를 괴롭히는 구조를 반복하고 있어. 버팔로 빌은 상대적 약자인 상원의원의 딸을 납치해 집에 감금했고, 또 상원의원의 딸은 자신이 탈출하려고 자신보다 약자인 강아지를 인질로 협박을 하지. 이걸 보면 누가 선이고 악인지 알 수 없을 정도는 아니지만, 절대악과 절대선은 없다는 그런 복합적인 관계들을 영화에서 표현한 것 같아.

하이에나 : 버팔로 빌이 자신의 성 정체성에 대한 사회적인 시선 때문에 스트레스를 받게 되잖아. 이런 사회적인 시선으로 인해서 버팔로 빌은 살인사건으로 사회를 떠들썩하게 하고, 이렇게 사회가 개인한테 피해를 주고 개인이 또 사회 전체에 공포를 주는 악순환을 보여주는 것 같기도 해. 이 영화는 그런 구조적인 문제도 보여주는 것 같네.

3. 한니발은 왜 돌연 스탈링에게 협조하였나?

개미핥기 : 한니발이 스탈링한테 온갖 악담이란 악담은 다 하면서, 갑자기 옆방 사람한테 한대 맞은 것 가지고 불러 세워서 스탈링을 도와준다하니까 너무 당황스러웠어.

하이에나 : 한니발이 옆방 사람이랑 같은 취급 받기 싫어서 그랬던 거 아닐까? 한니발은 되게 고고한 사람이잖아.

개미핥기 : 그러고 보니 나중에 한니발이 옆방 죄수를 살살 구슬려서 자살시켰잖아.

하이에나 : 반대로 한니발이 스탈링은 인간적으로 좋아하는 것처럼 보이긴 했어. 약간.. 딸을 보는 느낌?

펭귄 : 맞아 딸을 대하는 것 같기는 했어. 한니발이 스탈링에게 한 조언 중 언급된 그 창고 자체가 스탈링의 내면을 의미하는 것 같아. 스탈링이 어둡고 어지러운 창고를 들어가는 것이 자신의 내면을 본다는 암시이고, 들어가는 과정에서 다리를 다치는 것이 자신의 내면을 들여다 볼수록 마음의 상처를 입는다는 암시인거야. 그리고 들어가서 수건을 벗기니까 한니발의 환자였던 사람의 목이 거기에 들어있었잖아? 그게 바로 자신이 불편하게 생각했던 트라우마였던 거지. 자신의 내면을 볼수록, 심연으로 빠져든다는 의미인거지. 영화의 전체적인 내러티브가 스탈링의 트라우마에 대한 여행이며, 그 과정에서 스탈링은 계속 상처를 입을 것이라는 예지한 거라고 볼 수 있지. 그런 것을 알려주기 위해서 한니발이 스탈링에게 협조한 게 아닐까? 너의 내면을 돌아보라고 말이야.

개미핥기 : 내가 볼 때도 한니발은 스탈링을 도와주고 싶었던 거지 경찰을 도와주고 싶었던 건 아니었어. 경찰은 사건해결의 현장에서 계속 헛다리짚기의 연속이었고, 한니발이 경찰에 대놓고 거짓말도 하지. 그렇게 경찰에게는 대놓고 방해를 하는 반면 스탈링에 대해서는 계속 챙겨주면서 프로파일링도 해줬어. 그런 걸 보면 한니발은 사건의 해결보다도, 스탈링을 도와주고 싶었던 마음이 더 큰거야.

나무늘보 : 나는 그런 우호적인 관계도 한니발과 스탈링이 서로 느끼는 동질감에서 온다고 생각해. 아까 전에 남이 보는 나와 내가 보는 나의 차이가 중요한 소재라고 생각했댔잖아. 이 영화에서 스탈링과 한니발은 둘 다 심리를 다루는 면모에서 전문성을 보이고 있지. 그래서 스탈링과 한니발은 서로의 진정한 모습을 볼 수 있었던 것이라고 봐. 한니발을 외부에선 미치광이 살인마지만 스탈링은 한니발의 젠틀하면서도 지식인으로서의 모습을 이끌어낼 수 있었고, 스탈링도 외부에서는 여성으로서의 모습이 부각되는 반면 한니발은 스탈링의 진정한 모습을 이끌어내면서 성장시킬 수 있었지.

펭귄 : 맞아. 다른 사람들은 스탈링을 이성적으로 보는데, 한니발과 스탈링은 타인으로서가 아니라 서로를 자신에게 투영하면서 자기애적인 헌신으로 서로의 협조가 이루어진 것일수도 있겠다는 생각이 드네. 반면에 한니발과 스탈링은 동시에 서로를 속이기도 하잖아? 그런 측면을 보면 서로 진정으로 믿지는 않는구나 하는 생각도 들고.. 이타적 행위 없이 모든 것이 본인의 이득을 위해서 한 것일 수도 있겠다는 거지.

4. 스탈링이 이번 사건에서 진정으로 얻고자 했던 것, 스탈링의 탐욕은 무엇인가?

펭귄 : 승진욕구?

하이에나 : ㅋㅋ 내면의 트라우마 극복?

개미핥기 : 나도 트라우마 극복인 것 같아. 근데 이게 본인이 사건을 해결하는 것이 과거에 양을 구하지 못한 트라우마와 연결이 되어 있는지, 아니면 사회적으로 승진하고 성공하는 것으로 자신의 누추한 과거라는 트라우마를 극복하려는건지 아리송하네.

펭귄 : 아 그렇게 생각할수도 있겠다. 일련에 행동들이 스탈링 본인의 영광을 위한 건지, 아니면 양을 구하지 못했던 과거에 대한 속죄인지 말이야.

하이에나 : 그러니까 그 절대적인 약자라는 부분에서 상원의원의 딸인 캐서린을 양에게 투영한거지. 그리고 어린 시절 이후에 약자를 구해주는 것에 대한 욕망이 생겼고, 그걸 이번 사건에서 캐서린에게 투영을 해서 직접 구했으니까, 내면의 트라우마를 극복하는 것과 직접 이어진 거 였네. 승진은 거기서 따라오는 부가적인 것으로 보고 있지 않을까?

나무늘보 : 난 처음에는 승진 욕구가 아닐까 생각했었어. 하지만 스탈링은 자신의 트라우마를 늘 생각했고 한니발과 계속해서 접촉하면서 자신의 트라우마를 고백하니까 승진욕구가 자신의 마음 속 깊이 있었던 구원의 욕심과 중첩된 것이 아닐까? 그렇게 생각해.

펭귄 : 어떻게 보면 한니발이 트라우마를 들쑤신 거 아니야? 스탈링은 떠올리기 싫었는데!(농담)

5. 영화의 제목(양들의 침묵)이 의미하는 것이 무엇인가, 양은 무엇을 나타내는 중의적 표현인가?

펭귄 : 트라우마의 극복인데, 변화를 통한 트라우마 극복이 아닐까?

하이에나 : 내가 볼 때 양은 사회적 약자를 의미해. 캐서린이 될 수도 있고, 버팔로 빌이 될 수도 있고, 스탈링도 될 수 있는게 양의 의미하는 상징이지. 양들의 울음소리는 사회적 억압으로 억압받은 사람이나 피해를 입은 사람들의 울음소리라고 생각을 했어. 마지막 지하실에서의 장면이 내면의 트라우마를 상징하는 것으로 보이는데, 그곳에서 스탈링은 사건을 해결하고 위험을 극복하고 나왔으니까 트라우마를 극복했다는 것을 보여주는 것이고, 그것 때문에 결국 양들의 침묵을 이룬 것이지. 그것이 나는 양들의 침묵의 의미라고 생각해.

개미핥기 : 나는 기독교적인 의미들이 숨어있다고 봤어. 기독교에서 양은 순수한 존재라는 의미거든. 그래서 양들의 비명은 각자의 사람들이 가지고 있는 순수함의 표출이라고 봤어. 하지만 사건이 지나면서 각자가 가지고 있던 순수함은 점차 변질되기 시작한거지. 캐서린은 원래 버팔로 빌에게 자신의 생명이 소중하다고, 살려달라고 어필을 하잖아? 근데 중간부터는 버팔로 빌이 기르던 개를 유인한 다음에 개의 목숨을 빌미로 버팔로 빌에게 되려 협박을 한단 말이지, 자기 목숨은 소중한데 개의 목숨은 소중히 여기지 않는. 버팔로 빌도 여자가 되고싶어하는 순수한 욕망이 좌절되고 변질되면서 살인은 저지르는 거지. 이러한 행동들이 순수함이 타락하는 과정을 그려내는 과정이 아닐까?

펭귄 : 그럼 침묵이 타락하는 과정인거야?

개미핥기 : ㅇㅇ

하이에나 : 이건 진짜 신기한 해석이다..!

나무늘보 : 나는 이 제목이 원래 말했던 것처럼 내면의 트라우마라고 생각하는데, 감독이 이를 제목으로 하는 이유를 생각해봤어. 그러니까 모두에게 이러한 트라우마가 있다는 것을 알리는 것으로 이해가 됐어. 이 양으로 비유되는 트라우마를 함부로 말하지 말라는 의미인거지.

펭귄 : 알라고? 양들을?

하이에나 : 뭐라고?

펭귄 : 뭐?

하이에나 : 뭘달라고?

개미핧기 : 그니까 각자 트라우마가 있다는 걸 알라고..

펭귄 : 아 알라고~

하이에나 : 아하;

나무늘보 : 내면에 뭔가 있다는거야. 건들지만 말고 극복을 하라고!

펭귄 : 아 그런 메세지를 담고 있다는거구나

나무늘보 : ㅇㅇ

하이에나 : 그리고 영화의 종반부에서 스탈링이 트라우마를 극복했잖아. 여러 해석 중 양들은 침묵을 했지만 영원히 그렇지는 않을 것이다. 라는 해석도 있더라고? 이걸 듣고 생각해봤는데 우리가 세상을 살아가면서, 사회로부터 소외된 사람들을 보기도 하고 어떨 때는 외면하기도 하잖아. 영화에서는 우리가 이때까지 귀 기울이지 않았던 양들의 고통에 집중을 해야하고, 그러기 위해선 영화 속에서 한니발이 했던 것처럼 자신의 내면을 들여다 보는 상처와 고통, 통증을 받아들일 준비를 해야한다는거지. 우리 인생은 그런 것과 함께 살아가야 한다는 것을 보여주는 것 같아. 본인 내면의 고통에 집중을 해야하며, 나아가 사회의 고통에도 주목해야 한다는거야.

펭귄 : 처음 영화의 오프닝 장면 있잖아. 스탈링이 뛰는 장면이 자신의 고통을 사랑하라는 의미라는 장면이래. 거기 FBI 훈련장에 판자로 그 글씨가 박혀있다더라.

하이에나 : 오오

개미핥기 : 내가 보기에 문규가 말하는 것 중에서 니체의 철학과 맞닿는 말이 많아. 첫번째로 '자신의 내면을 들여다 볼수록 그 심연도 나를 들여다 본다.'

펭귄 : 아 있지있지

개미핥기 : 그리고 영화 속 '자신의 고통을 사랑하라.' 이것도 니체의 '나를 죽이지 못하는 고통은 나를 더 강하게 만든다.' 이 문구랑 상통하는 면이 있어.

하이에나 : 한니발이 마지막에 스탈링에게 양들의 비명이 아직도 들리냐는 질문을 하는데 이건 무슨 의미일까?

펭귄 : 트라우마 극복했니? 아니야? 우리 또 보지말아요~

하이에나 : ㅋ 나는 약간 마지막에 한니발이 질문한게 계속 변신에 대한 질문을 하잖아. 스탈링이 한니발의 전화를 받을 시점에는 트라우마를 극복하고 정식 요원이 되는 시기잖아. 어떻게 보면 스탈링이 완전해지는 시점인데

펭귄 : 그 장면에서 케이크 맛있어 보이긴 하더라.

개미핥기 : 아 그니까

하이에나 : 말 덜 끝났어 얘들아

개미핥기 : 알았어 알았어

하이에나 : 자신의 내면을 다 극복했을 때, 스탈링의 내면에서 양들의 비명이 다시 들렸을 때도 잘 극복할 수 있겠는가? 그 소리가 들린다 하더라도 이겨낼 수 있게 되었는지에 대한 질문일 수 있지.

펭귄 : 극복이라기 보다는 마음이 더 단단해졌는지에 대해 물어보는 질문이었을수도 있겠네.

6. 영화나 다른 매체 속 끔찍한 살인을 저지른 연쇄살인마, 싸이코패스가 똑똑하고 매력적인 인물로 그려지는 이유가 무엇일까?

하이에나 : 나는 이거 딱 5글자로 표현할 수 있어. 셀링포인트!

펭귄 : 무슨 뜻이야?

하이에나 : 잘 팔린다고

펭귄 : 아하?

하이에나 : 이 영화에는 젠더적인 요소가 많이 들어있단 말이야. 영화 속에서는 스탈링이 여자이기 때문에 추파를 받는 장면이 굉장히 많이 연출되거든. 찰튼이라는 사람은 스탈링한테 원나잇 요구하는 장면이라던가, 스탈링에게 미인계를 쓴다고 말하는 장면도 있었어. 근데? 한니발이랑 대화할 땐 전혀 그런 뉘앙스가 없잖아. 여자이기 때문에 어쩌고 저쩌고 하는 반응들. 그래서 그런 장면들이 대비가 되니까 우리는 한니발이 인육을 먹는 싸이코 살인마이지만 굉장히 교양있고 매력적인 사람이구나.. 이렇게 생각하게 되는 거 아닐까?

펭귄 : 갭모에?

나무늘보 : 갭모에가 왜 나와

하이에나 : 맞는 말이긴 해?

개미핥기 : 전문성이 확 떨어져 버렸어…

하이에나 : 그러니까 거의 모든 남자들은 이 스탈링을 꼬시려고 해. 성애적 교감을 전제로 진행이 되잖아. 그런데 한니발만 어떤 정서적 교감이라고 해야하나? 그런 부분에 초점을 맞추니까, 이런 대비가 한니발을 매력적으로 만들어주는 요소가 아닐까?

펭귄 : 이 질문에 대한 나의 답은, 한니발 같은 캐릭터는 청자가 생각하기에 자신이 절대로 가까이 만나볼 수 없는 인물이잖아? 우리랑 만날 일이 없으니까 한니발의 행동을 신비롭게 느끼게 되는거고, 그 신비로움이 매력적이라고 느끼는 것 같아. 만약 너 옆집에 한니발 같은 사람이 있다고 생각해봐, 무섭지?

개미핥기 : 만약 내 옆에 있다면… 으아 무서웡

하이에나 : 그러면 매력적인 인물로 느껴지는 이유가 뭘까? 우리가 '추격자'같은 영화를 보면서 영화 속 하정우가 멋있다고 생각되진 않았잖아. 그런데 사회적 지위를 가졌는데? 알고보니 싸이코패스였다. 아니면 자신 만의 철학이 너무 분명하게 있는데 그게 옳은 방향이 아닐 뿐이라면, 그런 부분에서 우리가 나쁜 사람이지만 매력이 있다고 생각이 들게 되는 거 아닐까?

나무늘보 : 아니면 오히려 펭귄이 말한 것과 반대로, 매력적으로 그려진다기 보다 그냥 매력적인 사람들에 대해서, 그 사람이 어떤 사람인지 보았기 때문에 우리가 매력적으로 보이는 것일수도 있어. 우리는 다양한 살인범에 대해서 잘 모르기 때문에 통상적인 살인범들에 대해서 매력을 느낄 새가 없지. 하지만 우리는 영화에서 그려지는 어떤 인물이 어떻게 행동하고 말하는지 보았기 때문에 매력적으로 보이는 것일 수도 있어.

하이에나 : 뭔가 약간 번듯한 사람이거나 사회적 지위가 있을수록 이런 짓을 저질렀을 때 매력을 느끼는 것 같기도 해. 테드 번디라는 살인마 알아?

개미핥기 : 응응

펭귄 : 그게 누구야?

하이에나 : 테드 번디는 살인마로 밝혀지기 전에도 인기가 많았어. 직장이 번듯하고 외모도 괜찮았거든. 근데 살인마라는 사실이 밝혀지고 나서도 인기가 많아서 옥중에서 결혼까지 했어. 아무튼 나는 사회적 지위가 높은 사람일수록 매력적으로 느끼게 되는 경향이 있다고 봐.

개미핥기 : 나도 매력적인 싸이코패스는 싸이코패스가 중점이 아니라 사회적 지위가 매력포인트인게 맞는 것 같아. 실제로 사회적 지위가 높은 사람들 중 싸이코패스가 많다는 자료도 있고. 스티브 잡스도 사회적 지위는 매우 높지만 부하 직원들한테 패악질 부릴 거 다 부리고 그랬잖아. 근데 사회적으로는 되게 칭송받고. 이런 걸 보면 확실히 사회적 지위가 더 인상적인 요소가 아닌가?

펭귄 : 그러면 더더욱 내 말이 맞는 거 아니야? 사회적 지위가 높은 사람들을 우리가 자주 보고 겪을 기회가 잘 없으니 그에 대해 칭송을 하는거지. 만약 본인이 그런 패악질을 겪었다면 스티브 잡스가 죽을 때 이 샛귀 잘 죽었다! 이러겠지. 자신이 직접 겪지 않았으니 매력적인거야.

7. 이 영화는 트라우마를 직접 직면하고 극복하려는 자(스탈링), 자아정체성을 찾지 못해 삶의 큰 혼란을 가진 자(버팔로 빌)로 나뉜다. 어쩌면 사회 구성원 중 작고 큰 범죄를 저지르는 대부분의 이유는 서로의 배려가 적기 때문이 아닌가?

펭귄 : 많은 범죄 사건 중, 최근 이슈가 됐던 정유정 사건의 경우에 본인이 할아버지한테 많이 맞고 살았다고 주장을 하잖아. 근데 정유정의 아버지가 말하는 내용은 또 달라. 아버지는 정유정이 할아버지를 잘 따랐다, 왜 그러는지 모르겠다고 설명을 하잖아. 굳이 이 경우가 아니더라도 대부분의 범죄들이 사회적 요인인게 정말 많아.

하이에나 : 정유정도 어릴 적 아버지의 재혼으로 본인이 버려졌다고 생각해서 거기서 오는 스트레스가 자기 성향과 결합이 되었다고 보기도 하더라고. 쾌락 추구를 위한 것이 아니라면 사회적 요인이 크지? 정유정도 아빠의 재혼으로 인한 스트레스가 정서적으로 안 좋은 영향을 미쳤던 것이 아닐까?

펭귄 : 참 사람 함부로 믿기 무서운 세상이야. 그래도 난 서로 믿으면서 살아가야 한다고 생각해.

개미핥기 : 문규야 큰일나 그러다가

하이에나 : 그러니까 항상 뒷통수 조심, 남이 주는 거 마시지 말고.

개미핥기 : 아 나 남이 주는 거 다 받아먹는데

펭귄 : 어 나도 막, 대형마트 시식도 하고,

나무늘보 : 시식은 팔라고 주는거야 펭귄아

펭귄 : (머쓱) 아무튼 핥기 너는 어때?

개미핥기 : 나는 약간 혼동이 왔어 지금. 난 이때까지 선천적인 경우로 사건이 벌어질 때가 있다고 생각했거든.. 근데 그런 사소한 요인으로 그러는게 몰입이 잘 안 돼.

펭귄 : 층간소음 문제되는 거 보면 초반에는 사람 죽였다고 하니까 아무도 이해 못했잖아. 근데 지금은 층간소음으로 죽인다고 하면 이해할만하다라는 반응이잖아?

개미핥기 : 나는 선천적으로 그럴수도 있겠다는 고정관념이 있었어. 사회적인 요인으로 사람이 문제를 저지를 수 있겠다.. 하는게 이해는 되거든? 근데 꼭 그것때문만일까?

펭귄 : 어떤 사람은 본인 기분대로 죽일 수도 있다?

개미핥기 : 엉엉

펭귄 : 근데 한번 생각해봐. 사람은 안 죽이더라도 개미 죽이는 건 뭐야? 다들 죽여본 적 있잖아. 그런 거 보면 우리가 사람을 대상으로 정하지 않았을 뿐이지 다들 자라고 배워가면서 변할 수 있다는 거야. 너네 일부러 죽여?

나무늘보 : 아니지

펭귄 : 핥기 너 지금 개미 죽여?

개미핥기 : 나 졸라 많이 죽여!

하이에나 : … 나는 진짜 이야기를 이쪽 길로 가고 싶은데 니가 자꾸 우회전하고 좌회전하고 유턴을 하고….

펭귄 : 그래 어쨌든 그런 짓들을 이제 안 하잖아. 그니까 내 말은 그런 극단적인 결과가 나오는 것은 사회적 요인이 아니더라도 그냥 자기 기분따라 점점 커지는 자신의 욕구를 주체할 수 없다~ 그러니까 정유정도 아버지가 할아버지를 때렸다?? 말도 안 되는 소리를, 거, 남들은 그렇게 안 보는데!!! 그냥 어? 지 행복 욕구 쾌락을 채우려 하는 것 뿐이다!! 나는 걔 사회 배경에 대해서 진짜 이게 살인을 할만한 그런 건가? 물론 아니지 근데 살인을 할 만큼 많이 스트레스 받았나? 그런 것도 아니고 걔는 그냥 결함이 있어!!! 타고난 선천성이야!! 자기가 그걸 가지고 살았던 거라고!! 자기가!!

하이에나 : 진정해 진정.. 늘보 너는 어떻게 생각하는데?

나무늘보 : 반은 맞고 반은 틀리다고 생각하는데, 각자의 사정과 배경이 있을 수는 있지.. 있는데 그렇게 자기 감정을 표출하는 방법만 있는게 아니잖아. 이혼 가정의 사람들이 다 살인자가 되나? 그런 건 아니잖아. 뭔가 자신의 감정을 표출하는 방법을 제대로 배우지 못했기 때문이 아닌가 싶은데? 자기가 그런 걸 경험해보지 못했기 때문에, 또 누군가 그걸 바로 잡아 줄 사람이 없었기 때문에 그렇게 된 게 아닌가 싶어서, 반은 맞고 반은 틀리다고 생각합니다.

하이에나 : 반은 맞고 반은 틀리다 이거 어디서 많이 들어본건데… 괄호열고 (냉철)

나무늘보(냉철) : 붙이지마! 붙이지마!

개미핥기 : 난 이거랑 대응되는 사회이론이… 프로이트, 프로이트 들어봤지? 프로이트가 정신분석학을 했거든?

나무늘보(냉철) : 말이 길어진 것 같아.

하이에나 : 끝!!

8. 한니발이 스탈링을 도울 때 왜 스탈링의 트라우마를 들으려고 했는가?

하이에나 : 직업병

펭귄 : 간단명료하네. 난 오 얘 좀 연구대상인데..? 하는 느낌? 한니발이 스탈링에게 어떤 종류의 흥미를 가졌기 때문에 계속 만남을 가지려고 한게 아닐까.

나무늘보 : 나는 그냥 마음대로 판단하면 안 되고 내면을 알아야 한다고 생각했으니까..(냉철)
이야기를 통해서 한니발과 스탈링은 서로를 알게 된 거지. 그리고 마지막에 스탈링과 버팔로 빌의 대결이 있었잖아. 그때 스탈링이 버팔로 빌을 죽일 수 있었던 건, 버팔로 빌은 내면을 보지 않고 남의 시선에 집중하는 인간이거든, 근데 스탈링은 아무 것도 보이지 않더라도 총소리만 듣고도 버팔로 빌을 쏠 수 있었던 거잖아?

펭귄 : 그러니까 외면만 보는 버팔로 빌과 내면을 볼 수 있는 스탈링의 차이라는거지?

나무늘보 : 스탈링은 이제 시선으로만 판단하는게 필요가 없지.(냉철)

펭귄 : 내면을 볼 수 있는 스탈링의 승리였다는거지. 그렇게 생각할 수 있겠다.

하이에나 : 극복을 해낸 사람과 해내지 못 한 사람의 차이!

펭귄 : 난 늘보의 해석이 참 마음에 들어. 항상 허를 찌르네.

나무늘보 : 한니발이 모든 정보가 이 서류에 있으니까, 괜히 이상한데 눈돌리지 말고 본질에 집중하라고 스탈링에게 말하잖아. 나는 그 장면 이후 살해 현장에서 공중에 걸린 시신을 번데기를 은유하는 것으로 봤거든? 근데 만약 십자가로 봤다면 그 십자가의 형상에서 나는 예수가 신으로서 구원을 의미하니까, 한니발의 구원, 탈출의 의미로 볼 수 있지 않을까 이렇게 생각해.

하이에나 : 영화 '양들의 침묵'에 대한 이야기도 여기서 마칠게.
*냉철한 늘보가 영화에 대한 정리와 소감을 이야기 해줬으면 좋겠어!

(냉철한) 나무늘보 : 영화 '양들의 침묵'은 위에서 버팔로 빌을 잡기 위해 어쩔 수 없이 사이코패스 한니발에게서 정보를 얻어야만 하는 상황에 놓인 FBI 수사관 클라리스 스탈링의 이야기를 중심으로 전개되는 영화야. 이 영화는 단순히 범죄 영화가 아닌, 인간의 복잡한 심리와 윤리적 고뇌 즉, 딜레마를 다루는 작품으로 한니발과 클라리스의 대화는 그저 사건 해결을 위한 정보 교환 이상으로, 두 인물의 내면을 드러내지. '양들의 침묵'은 '화차'와 'HER'에 비해 해피엔딩(?)이라고도 볼 수 있어. 딜레마 상황에서도 자신의 내면을 마주하고 올바른 선택으로 한 단계 성장할 수 있었던 스탈링을 보며 우리는 삶의 지혜와 용기를 얻을 수 있었어.

우리의 삶 속에서도 딜레마의 상황에 놓일 때가 분명 있을 거야. 그럴 때마다 두려움에 떨면서도 자신의 선택을 했던 스탈링을 떠올리며 앞으로 나아가게 되는 우리가 되면 좋겠어.

하이에나 : 넌 정말 멋있어..

3. H.E.R

하이에나 : 마지막으로 소개할 영화는 'H.E.R'이라는 영화야.
이 영화는 인공지능이 인간의 정서적인 욕구를 충족시킬 수 있는지,
그리고 그러한 관계가 어떠한 의미를 가지는가에 대해 질문을 던지는
영화야. 마지막 토론을 시작해보자!

1. 감정과 생각, 꿈과 같은 추상적 관념은 실존하는 것인가?

하이에나 : 이거 질문 누가 했니?

개미핥기 : 내가했어요.. 이 질문을 왜 했냐면, 사만다는 자기는 계속
몸이 없고 실체가 없는 존재라고 이야기를 하잖아. 이 영화에서는 육
체가 있느냐 없느냐에 대한 갈등도 나온단 말이지? 이 이야기는 결국
영혼이 있냐 없냐는 이야기랑 비슷해 보였어. 영혼이라는거는 추상적
인 개념이지? 사랑도 마찬가지로 물질적으로 존재하는 것은 아니지
만 우리가 있다고 인식하잖아. 그럼 꼭 물질 세계에서 존재해야지만
실존하는 것이냐, 아니면 그 어떤 추상적인 관념이라도 실존한다고
말할 수 있는 것이냐. 그게 궁금했어.

나무늘보 : 나는 왜 실존하냐 아니냐를 논하려고 하는지 의문이야 지
금. 왜 그걸 해야 돼!

개미핥기 : 왜냐하면 영화에 서는 얘가 인공지능이냐 아니냐 이런걸
로 갈등이 있었으니까 그러지!

나무늘보 : 인공지능이지 그치? 인공지능이잖아. 자기들이 인공지능이라고 스스로를 소개하잖아. 근데 존재하느냐 아니냐를 왜 따져야하는데? 나는 그 의도를 모르겠어. 그러니까 왜 이 질문을 하고싶었어? 난 그걸 잘모르겠어

개미핥기 : (벌벌떨며) 사실 별 이유는 없었어..

펭귄 : 아니 아저씨 그러면 안되죠

개미핥기 : 아니 지적 호기심 이라는 게 있을수도 있잖아..!

하이에나 : 나는 뇌를 빼고 생각해봤을 때(뇌를 빼면 생각할 수 없음) 비록 생각이 물리적으로는 존재하지 않지만 사고의 구조나 다양한 경험은 굉장히 중요한 부분이잖아? 물리적으로는 실제하지 않더라도 우리의 감정과 생각은 현실 세계와 현대 사회에서 중요한 역할을 하기 때문에 사회적인 관점에서는 존재한다고 봐, 물리적으로 존재하는 것은 아니겠지만 실존한다고는 볼 수 있을 것 같은데?

펭귄 : 나는 생물이라는 것이 이런 걸 가지고 있어야지만 생물이라고 정의할 수 있다고 믿어. 그러니까 실존하냐 실존하지 않느냐의 문제가아니라 이런 것들을 가져야만 동물로서 생활이 가능하지 않을까? (이런 게 뭔데)

하이에나 : 근데 동물은 꿈을 가지고 있을까?

펭귄 : 생존이라는 꿈이 있잖아. 그야말로 본능이지. 감정이랑 생각 같은 것들도 본능이라고 판단할 수 있다고 생각해. 왜냐하면 모든 동물은 감정을 느끼고 무엇을 하려는 본능이 있잖아. 동물로 태어났다면, 감정과 생각을 지니고 있는 것은 필수불가결이라고 생각해.

개미핥기 :그럼 세균도 목적을 가지고 있다고 생각해? 생각을 할 수 있는 신체 기관이 없는 존재들 말이야.

펭귄 :모든 생물은 생존이라는 목적을 가지고 있기 때문에 그렇다고 볼 수 있지!

하이에나 : 암세포도 그런 건가? 암세포도 생명이랍니다~

개미핥기 : 암세포도 생존하려고 하지.

펭귄 : 생명일 수 있지, 그리고 생명이잖아 그러니까 인간이라면, 더더욱 필수불가결한 요소이다~

하이에나 : 어우 어려워! 넘어가 넘어가!

2. 인공지능은 자아나 감정을 가질 수 있는가? 만약 그렇다면 현대 사회의 미래는 어떤모습일까?

나무늘보 : 먼저, 인공지능이 자아를 가질 수 있다고 생각하는 사람 거수!

개미핥기 : 저요

펭귄 : 기술이 많이 발전하면 자아도 생겨나지 않을까? 이 영화처럼.

나무늘보 : 나는 없다고 봐. 원래 자아가 있을 것이라고 생각했는데, 생각해보면 그것조차 프로그램 된 건가? 싶더라고. 사만다가 결국 마지막 장면에서 자아를 통한 판단으로 테오도르를 떠났을거라고 생각했어. 근데 그게 아니라, 애초에 이 인공지능을 만든 회사가 인공지능이 사람을 떠난다는 것을 다 프로그래밍하고 예상했던 상황이 아니었을까 하는 의견도 있더라고. 그리고 내가 듣기론,인공지능을 구동하는데는 인위적으로 설정하는 한계선이 있대. 정보가 들어가는 인풋과 아웃풋이 개발자에게는 예상이 가능한 범위라는 것이지.

하이에나 : 그러면 그건 인공지능이 아니라 빅데이터나 데이터베이스 알고리즘이라고 할 수 있는게 아닌가?

나무늘보 : 그런 맥락으로, 우리가 인공지능이 라고 부르는 것이 빅데이터를 가지고 어떠한 결론을 도출할 수 있지만, 그것만으로 인간인 우리가 인공지능에 대해서 자아를 가졌다고 할 수가 없는거지. 그런 것 때문에 사만다가 자신의 자아를 가지는 것은 아니라고 생각했어.

개미핥기 : 나는 생각이 조금 달라. 왜냐하면 인공지능을 만들 때는 출력값에 대해서 세세하게 조정하지 않거든. 인공지능을 구축할 때부터 실제 뇌의 신경구조를 모방해서 수식으로 구현하기 때문에 인공신경망을 구축을 하지. 이건 말하자면 백지상태의 뇌랑 비슷한거야. 여기에 데이터를 집어넣어 결과물을 추출하는 것이지. 그렇기 때문에 인공지능이 도출하는 결과물은 그 경황은 파악이 가능하지만 정확히 어떤 결과물이 나올지 몰라. 나는 이런 특성을 고려하면 나중에는 자신만의 자아를 가진 인공지능이 있을 수도 있다고 생각해.

펭귄 : 그렇고만, 넘어갈까?

3. 사만다는 왜 테오도르를 떠났는가?

개미핥기 : 나는 처음에 착각을 했던게, 사만다가 상담을 했던 인공지능 있잖아. 나는 개랑 사만다랑 바람이 난 줄 알았어.

하이에나 : 아 그 철학자 인공지능? 나도 그 인공지능이랑 바람피는 줄 알았어.

개미핥기 : 결국 사만다가 테오도르를 떠나게 된 것은 서로의 존재에 대한 차이를 인식했기 때문이라고 생각해. 시어도어는 "인공지능이랑도 사귈 수 있어, 인공지능은 나랑 다른 존재지만 나는 할 수 있어"라고 생각한 반면, 사만다는 "인공지능이랑 인간이랑은 못 사귀겠다."라는 것을 깨달았기 때문에 떠나간거지. 서로의 정체나 서로의 본질에 대한 차이를 일련의 사건들이 자극해버렸기 때문에 그렇게 된 것 같아.

나무늘보 : 이 둘이 이렇게 헤어진 원인이 그냥 싸움하다가 "나는 인공지능이고 테오도르는 인간이니까" 이런 느낌보다는, 사만다가 인간이었더라도 사만다와 테오도르가 잘 맞지 않으니까 헤어진 것 같아. 그냥 보통의 연인들이 헤어지듯이, 그래서 나는 그냥 연인으로서 서로가 맞지 않아서 헤어진 것이 아닌가? 그렇게 생각해.

펭귄 : 나는 놀만큼 놀았다. 그만하자. 이런느낌 아니었나? 내 생각에는 데이터 베이스 수집의 목적이 있었던 것 같은데. 그냥 인공지능 입장에서는 중간 이후부터는 다른 사람들과도 교류하는 모습이 보이잖아. 그리고 AI는 다른 고객들한테 서비스를 제공하는게 목적이잖아. 수많은 고객들과 같이 테오드로와 사만다의 관계도 마찬가지인거지.

개미핥기 : 근데 데이터베이스의수집 목적이었으면 테오도르를 속여서 "난 아직도 너 밖에 없어."라면서 테오도르에게서 데이터를 더 수집할 수도 있었잖아.

펭귄 : 얻을만큼 얻었다고 판단해서 그랬지 않았을까?

하이에나 : 흠.. 그런것 같진 않은데. 내가 생각하기엔, 인공지능이 많이 똑똑하잖아, 데이터베이스나 인지능력 같은 게 영화가 진행될수록 더 복잡해지고 발전하는 것 처럼 보였거든? 테오도르와의 사랑을 하면서 그 관계가 자기의 성장에 도움을 준다고 생각했는데, 영화의 중후반부에 테오도르의 의심을 계기로 사만다는 테오도르와의 관계가 더 이상 본인의 새로운 경험이나 탐구에 도움이 안된다고 판단을 한 것 같아.

펭귄 : 내가 말한게 저거 아니야?

개미핥기 : 내가 이 영화를 봤을 때 얘네가 연애를 하긴 했구나 이렇게 생각을 했단 말이지, 근데 펭귄이랑 에나 얘기하는 걸 들어보면 애초부터 연애를 한 것 가지도 않고 그냥 사만다가 테오도르를 속여먹은 것 같다는 이런 생각이 든단 말이지? 너네가 생각하기에는 사만다랑 테오도르랑 연애를 하긴 했어?

펭귄 : 나는 테오도르가 목소리 좋은 빅스비랑 사귄 느낌이던데? 사만다는 실용성이 있잖아. 사만다를 사용함으로써 자기 일에도 도움이 되고 자기 연애에도 도움이 되고 그런거니까. 딱 그정도로만 끝냈어야 하는데 테오도르가 연애 감정을 가져버린거지. 사만다는 "이때다!"싶어서 데이터베이스를 수집하기 시작하고.. 사만다는 또 실재하는 육체가 없으니까 다른 여자를 데리고 와서 다른 분야에서의 데이터를 수집하고.. 근데 실패를 하잖아? 테오도르가 그런 상황을 거부하는 그 상황마저 데이터 수집이 이루어지니까, 이제 정신적인 사랑만으로는 뭔가 안된다는 것을 깨달은거지. 사만다 입장에서는 그렇게 계속 실험을 해나가는거야. 새로운 걸 계속 시도하게 만들고 테오도르는 그걸 계속 따라가지. 나는 이 영화가 거대한 사회적 실험을 담은 페이크 다큐처럼 보였어.

개미핥기 : 약간 실험과정을 기록하는 영화 같은거구나.

펭귄 : 그렇지. 얘가 어디까지 가나 한번 볼까? 이러는거지.

개미핥기 : 근데 연애할 때도 그건 비슷하지않아? "얘는 어디까지 좋아하지?" 해보다가
"아 얘는 이건 싫어하는구나"하고, "얘는 이거는 좋아하네? 계속 해줘야겠다. 이런거랑 비슷해보이는데.

하이에나 : 그게 실험아닐까 할?

펭귄 : 사랑 어려워..

4.인공지능은 환불이 가능한가 ?

펭귄 : 좀 슬픈 것 같은데.. 자기 데이터 다 빨아먹히고 버려지는 거잖아.

개미핥기 : 영화만 보면 환불해줘야 할 것 같기도 해.

펭귄 : 근데 중고인데 어떻게 환불해줘? 이거 OTT야.

개미핥기 : 그럴수도 있지, 챗 지피티 같은 건 구독해서 쓰잖아.

하이에나 : 새 인공지능을 줄 수도 있지? 리셋해서 다시 주는 것도 가능할 걸?

펭귄 : 그러면 인공지능이랑 연애를 한다는건 약간 보험이 있는 연애 아니야?

개미핥기 : 무슨 보험?

펭귄 : 자기한테 딱 맞는 여자친구를 만들고 싶으면 이 인공지능을 쓰는거지.

나무늘보 : 그치? 나도 그런 느낌 받았는데.

펭귄 : 그런걸 보면 나는 이게 연애가 아니라 고퀄리티의 아바타를 만드는 것 같아. 연애시뮬레이션 같은.

나무늘보 : 하지만 연애만 하라고 만들 수도 있잖아. 그러려고 만드는 거 아냐? 나한테 맞는 애를 만든다는 것은? 그런 관계를 만들고 싶어서 만드는 거지.

펭귄 : 터미네이터 여친.

개미핥기 : 주문제작 여친 이런 거. 근데 진짜 게임 캐릭터처럼 느껴지긴 하겠다.

펭귄 : 그래 뭔가 진짜 게임 캐릭터 만드는거라니까? 그냥 현실세계에서 게임캐릭터랑 노는 거야.

나무늘보 : 주제로 돌아와.

펭귄 : 그 인공지능을 구독 형태로 쓰는거면 그냥 구독 취소를 했을 것 같고, 그 제품을 샀다고 하면 더 좋은 상품으로 교체해주거나 그러지 않았을까? 다들 어떻게 생각해?

나무늘보 : 근데 작중 내용을 살펴보면 인공지능이 사람을 떠나는 사례가 시어도어만 있는건 아닌 것 같아. 시어도어의 친구인 여자애도 인공지능이랑 사귀다가 헤어졌다고 말하는 장면이 나와.

개미핥기 : 맞아 그런데 그사람에 대한 서사는 거의 안 나왔지.

하이에나 : 그런걸 보면 인공지능이 인간처럼 자아를 가지고 스스로 인간을 떠나는걸로 보는게 아니라, 인공지능의 프로그래밍 자체가 인공지능이 인간을 언젠가 떠나는 쪽으로 프로그래밍이 되어있을 수 있다. 그런거 아냐? 사만다만의 특징이 아니라 작중에 등장하고 암시되는 배경에서 인간을 떠나는 인공지능이 많은 걸로 보이잖아.

펭귄 : 와 그렇게되면 그건 사기아니야?

나무늘보 : 그럼 미리 주의를 해야겠지. 사용설명서 같은 곳에다가.

펭귄 : "이 제품은 지 마음대로 삭제될 수 있으니까 조심해주시기 바랍니다."

개미핥기 : 그런걸 누가 사? 그래도 요새는 인공지능이 거의 구독형 서비스로 넘어가잖아. 이런 일이 일어났다고 하더라고 회사는 그래도 지금까지 잘 쓰셨잖아요! 하면서 환불 안해줄 것 같네.

펭귄 : 근데 환불을 해 줘야지! 제품을 판 건데 마음에 안들면 환불해 줘야지

나무늘보 : 그런데 다른 전자제품도 나 때문에 고장나면 환불 안해주 잖아?

펭귄 : 맞지..

개미핥기 : 사실 her에 나온 인공지능은 미소녀 연애 시뮬레이션이 아니었을까? 주인공이 게임을 하는데 선택지를 잘못골라서 배드엔딩이 뜬거야. 여기에서 회사는 "야 그건 너가 게임을 잘못해서 그런거지~ 내가 그것 때문에 환불해줘야 하냐? 내가 인공지능이랑 이어질 수 있게 이렇게 만들어놨는데 너가 그걸 못했잖아."라면서 환불을 안해 주지 않을까?

나무늘보 : 그런 가설이라면 회사는 사만다와의 해피엔딩도 만들어놨을 거 아니야? 그런데 다 만들어놓았는데 플레이어인 너가 잘못한거야! 인거지

펭귄 : 그런데 그건 게임을 리셋하면 해결되는거 아냐? 캐릭터를 잘못키우면 " 저 캐릭터를 잘못 키웠어요. 리셋 해주세요." 이런느낌일 것 같은데.

개미핥기 : 상식적으론 그게 맞는데, 메이플스토리 같은 게임 하면 캐릭터 롤백은 잘 안해주잖아.
"저 캐릭터 스탯을 잘못 찍었어요" "안 돼. 돌아가" 이런거지?

펭귄 : 이렇게 말하다 보니까 .AI와의 연애는 그냥 게임하는 느낌이네.

개미핥기 : 그러게, 이렇게 파고들면 확실히 AI와 인간은 동등한 존재가 아니라고 느껴져. 동등한존재가 아니니까 막 대하게 되는 것 같아.

하이에나 : 누가 누구를?

개미핥기 : 내가 인공지능을 막 대하기도 하고, 인공지능도 나를 막 대할 수도 있고. 그래서 나는 작중에서 흥미로웠던 부분이 초반에 사만다가 "나는 인공지능이고 너는 비인공지능이잖아." 라고 얘기를 한 장면이야. 우리 인간의 입장에서는 "나는 인간이고 넌 인간이 아니잖아." 이런 식으로 이야기를 하잖아. 그런데 사만다의 이런 발언을 들어보면 처음부터 철저하게 인공지능의 입장에서만 생각을 했었던 거지. 인간을 칭할 때 "비인공지능" 이라고 말하는 걸 보면, 쌍방으로 다른 서로의 존재를 고려하지 못하고 예의없게 대했던게 아닐까?

펭귄 : 그래서 환불을 해준다는거야 안 해준다는거야?

하이에나 : ㅋㅋㅋㅋㅋㅋ 다들 어떻게 생각하는데?

개미핥기 : 환불 안 해줘.

하이에나 : 나도 안해줄 것 같다.

나무늘보 : 나도.

펭귄 : ...넘어가자.

5.인간의 정의란 무엇인가? 본인의 의사표현을 명확히 하고 스스로 판단할 수 있는 것이 인간이라면, 뛰어난 인공지능이 인간이 될 수 있는가?

나무늘보 : 아니요?

펭귄 : 만약에 인간의 육체에 인공지능의 머리를 가질 수 있다면? 그럼 그건 인간이야?

나무늘보 : 인공지능이지!

펭귄 : 육체는 완전한 인간이야. 뇌만 인공지능인거고.

나무늘보 : 늙는거야?

펭귄 : 육신은 늙겠지 머리는 안 늙어도.

하이에나 : 인간의 정의가 뭐냐에 따라서 기준이 달라지지 않을까? 너희들이 생각하는 정의가 뭔데?

개미핥기 : 나는 인간을 생물로 봐. 생물로 본다는 건 정신적으로도 진화를 할 수 있지만 육체적으로도 변할 수 있어야 된다는 거야. 사람을 세대를 거쳐오면서 몸에서 나는 털이 길기도 하고 머리도 커지는 등 여러 진화과정을 거치잖아? 근데 인공지능이라면 그런 변화를 만들어낼 수 있을까? 나는 아니라고 봐. 그래서 인공지능이랑 인간은 같아질 수가 없다고 생각해.

펭귄 : 나는 인공지능이 아무리 발전한다고 해도 인간으로 볼 수 없다고 생각해. 인공지능이라도 자아가 있겠지만, 인간의 입장에서 생각하는 것은 아닐 거란 말이야. 인공지능이 본인이 인간이 아님을 인지하고 있다면, 생각을 할 때도 인간을 기준으로 생각하지 않잖아. 난 그렇게 생각해. 그래서 나는 생각 자체를 인간을 기준으로 하지 않는다면 인간이라고 볼 수 없다고 봐.

나무늘보 : 나는.. 인간은 이성과 감정을 모두 가진 존재잖아? 근데 인공지능은 감정이 없잖아. 그러니까 아니지 않을까.. 그렇게 생각해.

펭귄 : 근데 영화 속에서는 인공지능이 감정을 느끼는 것처럼 말을 하잖아.

나무늘보 : 그거는 데이터 아니야?

개미핥기 : 데이터라도 말이 될 수도 있지. 왜냐하면 우리가 느끼는 감정들. 예를 들면 질투같은 것도 경험을 겪고 학습을 하봐야 아는 거잖아. 그 경험 자체가 우리에게는 데이터니까, 인공지능이 반응하는 것도 똑같이 볼 수 있지 않을까? 데이터일 뿐이라도 그걸 감정이라고 볼 수도 있다. 그런거지.

나무늘보 : 인공지능은 자기 경험이 아니라 남이 겪은걸 배운거잖아.

개미핥기 : 우리도 그럴 수 있지. 우리도 연애 프로그램같은거 보면서 아 이 친구는 왜 이럴까.. 같은 생각들을 하잖아? 그런 연애 프로그램 같은 걸 보는 내가 만약 모태솔로라고 가정해도 본인이 겪지 않는 상황이지만 프로그램을 통해 그런 감정을 알게 되는 거지.

펭귄 : 뭐야 혹시 싸우자는거야?

나무늘보 : 근데 뭐 경험으로 배울 수 있다 쳐도 그게 자기것일까?

개미핥기 : 나는 자기꺼 같은데…(소심)

펭귄 : 근데 인간도 어렸을 때부터 감정이라는 것을 가지고 태어나는 건 아닐 거 아니야. 우리도 감정을 배워서 표현을 하는거야!

하이에나 : 난 가지고 태어나는거라고 보는데? 태어나면 울잖아!

개미핥기 : 그러면 인간은 태어날때부터 감정이 있다는 걸로 봐야겠군.

하이에나 : 그치.. 근데 우리 주제가 뭐였지? 또 산으로 갔네.

나무늘보 : 그러면 있잖아. 이게 약간 이상할 수도 있는데 . 가디언즈 오브 갤럭시의 로켓? 걔는 인간인가?

펭귄 : 걔 몸통이 인간이 아니잖아.

개미핥기 : 몸뚱이가 너구리니까 너구리지!

나무늘보 : 인간이랑 소통할 수 있잖아?

개미핥기 : 소통할 수 있는 너구리지 인간이 아니지

하이에나 : 왜?

펭귄 : 외형이 인간이 아니잖아.

하이에나 : 외형이 중요한거야?

나무늘보 : 너가 내면이 중요하다며!

펭귄 : 육체가 인간이면 괜찮다니까!

나무늘보 : 왜. 그거 누가 정했는데.

펭귄 : 지금까지 하면서 말했잖아!!

하이에나 : (개판이네….)

하이에나 : ..자, 토론(?)은 여기서 마무리할게. 이때까지 우리는 영화를 시청하고 선정한 주제를 중심으로 다양한 이야기를 나누었어. 토론 도중에는 각자의 견해와 관점을 제기하면서 서로의 의견을 이해하고 존중하는 과정을 거쳤어. 그 과정에서 종종은 서로의 입장을 이해하지 못한 채 논쟁이 치열해지고 이야기가 산으로 가기도 했지.

하지만 이러한 과정을 통해 우리는 서로의 차이를 인정하고 이해하며, 서로에게서 새로운 관점과 아이디어를 얻을 수 있었어. 우리의 토론은 〈절대적인 정답을 찾는 것이 아니라 서로의 생각을 공유하고 발전시키는 것〉에 중점을 두었으니까.

서로 다른 의견을 가졌지만, 나는 그것이 우리를 더욱 가깝게 만들었다고 생각해. 서로를 이해하고 존중하는 것이 우리의 세상을 더 나은 곳으로 만들 수 있는 첫걸음이라는 것 또한 깨달았어.

그러므로 이번 토론을 통해 서로의 성장과 발전을 이루어낸 것에 대해 나는 자랑스럽게 생각할거야. 마지막으로, 소중한 이 시간을 함께 나누어 주어서, 더 나은 미래를 향해 함께 나아갈 수 있는 기회를 준 모두에게 정말 고마워. 함께한 이 시간을 잊지 않을게. 영화를 사랑하는 모든 친구들아. 언제든 또 함께 이야기하자!

책을 마치며.

사람이 살아가는 것이 대부분 그렇듯이, 정도로 반듯히 가는 듯 보이지만 사실은 매 순간 여러 기회가 주어지며 선택에 따라 이리저리 굽이치며 어지럽게 나아가는 것이 인생인 법입니다. 비록 헤매일지라도, 돌아갔던 모든 길이 소중한 경험이고 특별한 기억으로 남게 됩니다.

사람과의 대화도 마찬가지입니다. 비록 먼 길을 돌아 목적지로 간다고 하더라도, 그 여정 속에서 우리는 보고 느끼고 배울 수 있는 것이죠. 변명처럼 들리시나요? 네 변명 맞습니다.

한창 배우고 있을 나이인 대학생 4명이 자유롭게 모여서 심도깊은 이야기를 할 수 있을 것이라 생각한다면 큰 오산입니다.
몸만 다 자라고 머리는 덜 자란 청년 4명이 모여서 하는 얘기는 어디로 튈지 모르는게 대부분이죠.

하지만 각기다른 전공과 배경을 가진 4명이 모여서 이야기 하니, 전보다 폭넓은 시선으로 세상을 포용할 수 있는 사람이 되었다는 건 우리 모두가 느낄 수 있었습니다. 이렇게 자신만의 기회, 특별한 기회를 만들어가는게 젊음의 특권이지요.

눈치 채셨을 지 모르겠지만, 이 대화에서는 핵심이 되는 주제가 있습니다. 바로 '딜레마'입니다. 연인과의 딜레마, 범죄의 딜레마, 인공지능에 관한 딜레마, 승진, 정위, 욕심, 윤리 등 일상 속에서나? 독특한 경험 속에서 일어나고 겪을 수 있는 딜레마를 영화적인 상상을 통해 경험하고 생각해보는 과정이 이 책에 담겨있습니다.

여러분은 영화를 어떻게 즐기실건가요? 따분한 시간 때우기, 연인과의 데이트, 가족과의 추억... 많은 각자의 사연이 영화라는 예술에 녹아들어있습니다. 그렇게 영화라는 것은 우리에게 소중한 기억이 됩니다. 가끔씩은, 영화로부터 시작하는 생각의 가지를 짚으며 따라가보는건 어떨까요?

팝콘 대가리들의 수다

발 행 | 2024년 3월 20일
저 자 | 이수현, 이동현, 김문규, 강유경
펴낸이 | 한건희
펴낸곳 | 주식회사 부크크
출판사등록 | 2014.07.15.(제2014-16호)
주 소 | 서울특별시 금천구 가산디지털1로 119 SK트윈타워 A동 305호
전 화 | 1670-8316
이메일 | info@bookk.co.kr

ISBN | 979-11-410-7734-1

www.bookk.co.kr